Chien Pourri à Paris

Loi n° 49.956 du 16 juillet 1949 sur les publications
destinées à la jeunesse : mars 2015
Dépôt légal : décembre 2015
Imprimé en France par l'imprimerie Clerc à Saint-Amand-Montrond

ISBN 978-2-211-22078-1

Colas Gutman

Chien Pourri à Paris

Illustrations de Marc Boutavant

Mouche

l'école des loisirs

11, rue de Sèvres, Paris 6e

75 CHA
Le Parichien

Au fond d'une poubelle, dans les faubourgs de Paris, très loin des Champs-Élysées et de l'Arc de triomphe, Chien Pourri et Chaplapla jouent au Monopourri sur une vieille serpillière.

– N'oublie pas de t'arrêter sur la case Poubelle, Chaplapla.

– Mais j'y suis déjà, Chien Pourri. J'en ai marre, je ne joue plus.

– Tu veux faire un tour à la déchetterie ?

– Non, je voudrais voir Paris : la tour Eiffel, la Joconde…

– Et les bateaux-mouches ?

– Oui, Chien Pourri, tout sauf notre poubelle !

Et tandis que Chien Pourri rêve de gober les mouches sur les bords de Seine, les deux amis reçoivent la visite de vieilles connaissances.

– Notre maman nous a payé un Caniche Tour à Paris, dit le basset à petit manteau.

– Et une soirée aux *Folies Ménagères*, ajoute le caniche à frange.

– Vous en avez de la chance… soupire Chien Pourri.

– Oui, pour vous, ce serait plutôt

un Poubelle Tour, se moque le basset à petit manteau.

Chien Pourri se sent aussi triste que le jour où on lui avait refusé l'entrée de la déchetterie parce qu'il était trop sale.

– Ne t'inquiète pas, Chien Pourri, nous aussi, nous irons à Paris ! promet Chaplapla.

– Et comment ?

– En faisant du stop, pardi !

Après quelques heures d'attente dans le caniveau, un camion poubelle finit par s'arrêter à leur hauteur.

– Alors les ordures, je vous dépose quelque part ? demande le chauffeur.

– On voudrait voir la capitale, dit Chien Pourri.

– Ah ! Montmartre, *Les Folies Ménagères*, les petites femmes de Paris… Allez, grimpez !

Coincés dans les embouteillages, Chien Pourri et Chaplapla admirent le paysage.

– Tu as vu tous ces pots d'échappement, Chaplapla, que c'est beau !

– Oui, c'est le périphérique, Chien Pourri.

Mais alors qu'ils traversent la Seine, Chien Pourri devient aussi vert que le camion poubelle :

– J'ai peur, Chaplapla.

– De quoi Chien Pourri ?

– Des petites femmes de Paris. J'ai peur de ne pas les voir si elles sont trop petites.

A St PIERRE DE MONTMARTR
AU CL

Place du Tartre

Enfin Montmartre, son Sacré-Cœur et ses peintres du dimanche. Le Caniche Tour a rejoint, lui aussi, la place du Tartre.

– Hello, bonjour, guten Tag, sayonara, bande de clebs ! hurle Aristide Bruyant, le guide. Vous avez cinq minutes pour vous faire tirer le portrait !

– Je vais me faire repeindre la frange, dit le caniche à frange.

– Et moi, le manteau, dit le basset. Tiens, Chien Pourri et Chaplapla ! Vous êtes venus en vide-ordures ?

– Non en camion poubelle, c'est plus confortable, répond Chien Pourri.

– Silence ! hurle Aristide Bruyant, je ne veux pas entendre une mouche voler.

– Silence, mes mouches ! ordonne à son tour Chien Pourri à son fan-club de mouches.

Mais dans le caniveau, un gamin de Paris fait davantage de bruit :

– À vot' bon cœur m'sieu dames, *j'ai perdu ma maman, j'ai perdu mon papa...*

– Et t’as perdu aussi ton manteau, banane ?! se moque le basset à petit manteau.

– Non, on me l’a volé, répond l’enfant en grelottant.

– Le pauvre, il faut l’aider, propose le labrador.

– C’est ça, et pourquoi pas lui offrir une coupe de cheveux chez

Jacques la Frange ? dit le caniche à frange.

Pendant que Chien Pourri part à la recherche des petites femmes de Paris dans le caniveau, le gamin de Paris, lui, continue sa litanie en serrant contre son cœur un bout d'étoile de mer.

« Chouette, une croquette géante ! » se dit Chien Pourri.

– Je peux en avoir ? demande-t-il.

Mais le gamin de Paris se met aussitôt à pleurer.

– Que se passe-t-il ? demande Chaplapla.

– Il ne veut pas partager sa croquette ! dit Chien Pourri.

– C'est mon papa qui me l'a

donnée avant de tomber dans une bouche d'égout, explique le gamin de Paris, en reniflant. Depuis, je ne l'ai jamais revu.

– Moi, un jour, j'ai fait tomber ma chaussette dans les égouts, peut-être que ton papa va la retrouver, dit Chien Pourri.

– Et ta maman, où est-elle ? poursuit Chaplapla.

– Je l'ai perdue dans la rue.

– Tu sais où elle travaille ?

– Elle dansait le french cancan dans un cabaret, mais elle a été renvoyée parce qu'elle ne levait pas assez haut la jambe…

– Pour faire pipi ? demande Chien Pourri.

– Mais non, idiot, le french cancan est la danse des petites femmes de Paris, lui explique Chaplapla.

– Si ta maman est minuscule, ça va être dur de la retrouver, conclut Chien Pourri.

À cet instant, un peintre du dimanche passe devant eux.

Chaplapla a une idée.

– Demandons-lui de dessiner le portrait-robot de sa maman.

– Tu veux l'accrocher dans notre poubelle ? demande Chien Pourri.

– Non, c'est une technique de policier pour retrouver les gens.

Mais le peintre refuse de travailler gratuitement. Seul un peintre manchot, qui dessine avec ses pieds, finit par accepter. Malgré les efforts du gamin de Paris pour décrire sa maman, le portrait n'est guère ressemblant…

– *J'ai perdu mon papa, j'ai perdu ma maman*, crie le gamin de Paris, en brandissant son tableau.

_ Et tu vas me faire perdre mes touristes ! s'énerve Aristide Bruyant.

– Nous, on va à l'opéra, se vante le caniche à frange.

– Il y aura des petites femmes de Paris ? demande Chien Pourri.

– Je ne sais pas. En tout cas, il y a

des petits rats, ça devrait te plaire, rigole le caniche à frange.

Et pendant que le Caniche Tour remonte dans son Royal Bus, le Poubelle Tour s'engouffre dans le métro.

METROPOLICHIEN

Le Métropolichien

Devant le guichet, Chien Pourri et Chaplapla cherchent de vieux tickets de métro par terre. Le gamin de Paris, lui, a une meilleure idée.

– Sautons par-dessus les portiques, lance-t-il.

– Ça tombe bien, je suis très fort à saute-poubelle ! se réjouit Chien Pourri.

Mais il se prend les pattes dans le tourniquet et s'étale comme une crêpe devant un contrôleur.

– Ça va vous coûter cher, dit celui-ci.

– *J'ai perdu ma maman, j'ai perdu mon papa*... lance le gamin de Paris.

– Et t'as perdu ton ticket aussi, j'imagine ?

Le gamin de Paris a très peur d'aller en prison, alors pour attendrir le contrôleur, il montre les deux seules choses qu'il possède au monde : son bout d'étoile de mer et le tableau du peintre manchot.

– Qu'est-ce que c'est que cette croûte ? ! demande le contrôleur.

– C'est ma maman, répond le gamin de Paris.

– Et ton étoile de mer, tu l'as trouvée dans le caniveau ?

– Non, près des égouts.

– Je ne veux pas de ces vieux machins, allez filez avant que je change d'avis. Tu pourras dire à ta maman que les contrôleurs ont du cœur.

– *Mais j'ai perdu ma maman, j'ai perdu mon…*

Le gamin de Paris n'a pas le temps de finir sa phrase, le Poubelle Tour s'entasse dans une rame du métro, juste avant la fermeture des portes.

« Comme tout le monde a l'air triste », se dit Chien Pourri.

– Eux aussi ont perdu leur papa dans les égouts ? demande-t-il au gamin de Paris.

– Non, ils vont travailler.

– Nous pourrions danser le french coin-coin pour les amuser ?

Une dame assise sur un strapontin n'est pas de cet avis :

– Vous devriez être enfermés dans un zoo !

– Mais je suis un enfant, crie le gamin de Paris.

– Alors où sont tes parents ? demande un monsieur.

– *J'ai perdu ma maman, j'ai perdu mon papa…*

– Eh bien moi, j'ai perdu mes lunettes, mais je ne dérange pas les autres avec mes histoires ! dit un passager.

– C'est vrai, gamin, tu as perdu une bonne occasion de te taire, ricane un autre.

Et pendant que Chien Pourri essaie d'imiter le petit lapin de l'autocollant et se coince les pattes dans les portes, une petite dame s'avance brandissant un parapluie :

– Les mendiants dehors ! s'énerve-t-elle.

– C'est la plaie du métro, crie une autre.

La foule s'avance, menaçante, vers le gamin de Paris. Sentant venir le danger, Chien Pourri intervient :

– Attention, j'ai la rage ! grogne-t-il.

– Et moi, je suis un chat sauvage, souffle Chaplapla.

Apeurés, les passagers du Métropolichien s'écartent. Chien Pourri, Chaplapla et le gamin de Paris peuvent descendre sur le quai de la station Opéra.

PSG
PEINT
- FAUX
- FAUX
- FAUX
25L

Les petits rats de l'Opéra

Devant le temple de l'art Lyrique, Chien Pourri cherche les petites femmes de Paris dans les poubelles. Chaplapla, lui, entend des voix derrière lui :

– On va voir *Le Lac des cygnes*, ça vous dit ? demande le caniche à frange.

– Du balai, les rats ! hurle Aristide Bruyant.

– Nous ? demande Chaplapla.

– Non, eux.

Des petits rats en tutus sortent des poubelles.

« C'est donc ça, les petits rats de l'Opéra », pense Chien Pourri.

– Nous cherchons une petite femme de Paris, se renseigne Chaplapla.

– Ce n'est pas trop le quartier. Vous avez une photo ? demande un petit rat.

Le gamin de Paris sort son tableau dessiné avec les pieds.

– Mais c'est Jambe-Courte ! La danseuse de french cancan !

– Vous la connaissez ? demande le gamin de Paris, tout ému.

– Oui, elle s'entraînait parfois ici

à lever la jambe, répond le petit rat. Mais ça fait longtemps qu'on ne l'a pas vue.

– Vous devriez interroger Mona Lisa. Elle travaille près du Louvre. Elle est très forte pour retrouver les personnes disparues, conseille le petit rat de l'opéra.

Le Poubelle Tour se remet en marche, haut les cœurs, pendant que le Caniche Tour fait des emplettes dans les grands magasins.

Mona Lisa
Mona Lisa
– Le journal
– L'avenir
– Le marc
de café
(Répare aussi
les motos.)

Louvre-Boîte

Non loin de la grande pyramide du Louvre, de la Joconde et des Égyptiens, une grande brune au sourire énigmatique consulte dans sa roulotte.

– Regarde Chaplapla, une baballe en cristal ! s'enthousiasme Chien Pourri.

– Elle irait très bien sur notre poubelle, remarque Chaplapla.

– Chut… Non, ne me dites rien… Je vois, je vois… que vous cherchez l'amour, murmure Mona Lisa.

– Non, répond Chien Pourri.

– Vos clés ?

– Non plus, dit Chaplapla.

– Les toilettes ?

– Non, je cherche ma maman, répond le gamin de Paris.

– Silence ! Je vois que vous avez des puces, mais pas d'argent. Je vois… je vois… que je ne peux rien faire pour vous !

– Mais comment vais-je retrouver ma maman ? demande le gamin de Paris.

– Je n'en sais rien, moi, tu n'as qu'à la chercher avec des jumelles !

« Je connais des jumelles, malheureusement elles n'habitent pas à Paris », se dit Chien Pourri.

Le caniche à frange sort de la pyramide du Louvre.

– La Joconde n’a pas de frange, elle est nulle !

– Ni de manteau, se plaint le basset à petit manteau.

– On va voir la tour Eiffel, ça vous dit ? propose le labrador.

« Je vais rapporter un souvenir », ronronne Chaplapla.

« Peut-être trouverai-je des jumelles ? » pense le gamin de Paris.

« Et moi, des chaussettes », se dit Chien Pourri.

C’est plein d’espoir que le Poubelle Tour fait la manche devant la roulotte de Mona Lisa. Chien Pourri mime « le chien au ralenti », Chaplapla, le sphinx des poubelles, et le gamin de Paris ramasse quelques pièces avec une vieille brosse à dents.

HOT DOG GLACES SOUV

La tour Eiffel infernale

Au pied de la tour Eiffel, le Caniche Tour rencontre le Poubelle Tour.

– Vous êtes venus comment ? demande le basset à petit manteau.

– On a pris le bus, dit Chien Pourri.

– Dans la gueule ? s'esclaffe le caniche à frange.

– Je vais acheter un os tour Eiffel pour ma maman, dit le labrador.

– Et moi, pour ma poubelle, dit Chaplapla.

– Ça m'étonnerait, t'as pas assez d'argent, fait le pit-bull. Et toi le gamin, tu vas lui rapporter quoi à ta maman ? Un sac-poubelle ?

– Mais *j'ai perdu ma maman, j'ai perdu mon papa…*

– À mon commandement ! hurle Aristide Bruyant, le dernier arrivé en haut est un chien pourri !

– Je peux jouer ? demande Chien Pourri.

Pendant que le Caniche Tour patiente devant l'ascenseur, Chien Pourri, Chaplapla et le gamin de Paris prennent l'escalier.

Arrivé au sommet, Chien Pourri s'exclame :

– J'ai gagné, je suis le premier. Est-ce que je suis toujours pourri ? demande Chien Pourri.

– Oui, ne t'inquiète pas, s'amuse Chaplapla essoufflé.

Le gamin de Paris, lui, a tout perdu : en regardant à travers des jumelles, il ne voit que les toits de

Paris et de vieilles antennes de télé. Nulle trace de sa maman. Alors, une nouvelle fois, il se met à pleurer en serrant contre son cœur l'étoile de mer de son papa.

« C'est dommage, il va mouiller sa croquette », se dit Chien Pourri.

Pendant ce temps, le Caniche Tour se dispute dans l'ascenseur. Le caniche à frange appuie sur les boutons avec sa frange pour aller plus vite et le pit-bull saute dans tous les sens.

– Bande de chiens, hurle Aristide Bruyant, vous allez bloquer l'ascenseur !

Et pour se calmer, il allume une cigarette. Mais fumer est dangereux pour la santé et pour le manteau du petit basset.

« Tiens, ça sent la saucisse grillée », se dit Chien Pourri. Oh ! mais il y a le feu ! »

– Au secours, ma frange brûle ! hurle le caniche à frange.

– Mon manteau prend feu ! dit le basset à petit manteau.

Chien Pourri dévale l'escalier à leur rescousse et une fois en bas, place sous l'ascenseur ce qu'il connaît le mieux au monde : une poubelle verte.

– Sautez, je vous récupère ! crie-t-il.

Alors, sous les yeux des touristes médusés, le Caniche Tour s'élance dans le vide pour atterrir dans les ordures.

– C'est malin, maintenant ma frange est toute décoiffée, se plaint le caniche à frange.

– Et mon manteau sent la sardine, râle le basset à petit manteau.

– Allez, tous à la douche sur le bateau-mouche ! crie Aristide Bruyant.

Le bateau-douche

Pendant que le Caniche Tour fait sa toilette sur un bateau-mouche, le Poubelle Tour se repose sous les ponts de Paris.

– Je suis content de vous avoir rencontrés, mes amis, confie le gamin de Paris.

– Tu es courageux, dit Chaplapla.

– Je suis né sous une bonne étoile. Je suis sûr qu'un jour je retrouverai ma maman et mon papa.

« Et moi ma chaussette », se dit Chien Pourri.

En s'endormant, le gamin de Paris serre dans sa main son bout d'étoile de mer.

« Mais pourquoi il ne la mange pas ? » pense Chien Pourri.

Au petit matin, le réveil est brutal :

– Admirez le Paris authentique des clochards et des chiens galeux ! hurle Aristide Bruyant depuis son bateau.

– Eh, le gamin ! T'as retrouvé ta maman ? crie le basset à petit manteau.

– Toujours pas.

– Tu devrais aller aux objets trouvés, rigole le caniche à frange.

– Ou prier à Notre-Dame, conseille le labrador.

– Qui c'est celle-là ? demande Chien Pourri.

– Le labrador a raison, c'est peut-être ma dernière chance, soupire le gamin de Paris. Allez, venez, on va rater le premier camion poubelle.

Notre-Drame

Sur le parvis de la cathédrale Notre-Dame, le caniche à frange prie pour avoir une nouvelle frange et le basset, un nouveau manteau. Le gamin de Paris, lui, reprend son refrain :

– *J'ai perdu ma maman, j'ai perdu mon papa…*

– Vous devriez confier vos malheurs à Notre Drame, c'est à deux pas d'ici, propose une petite dame.

Même si le gamin de Paris sait qu'il ne faut jamais suivre des inconnus dans la rue, il ne peut s'empêcher de suivre cet espoir.

– C'est elle, notre dame ? demande Chien Pourri.

– Oui, suivons-la, dit Chaplapla.

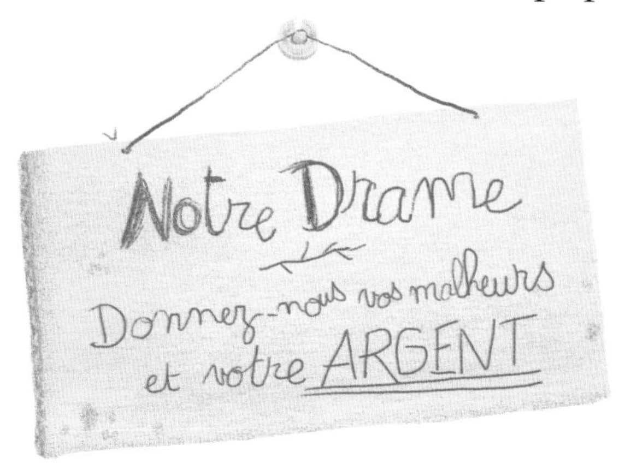

Au fond d'une impasse, juste derrière la cathédrale, le Poubelle Tour s'engage dans une petite taverne.

Notre Drame
Notre Drame

– Alors, mes biquets, quels sont vos soucis ? demande un serveur derrière le comptoir.

– *J'ai perdu ma maman, j'ai perdu mon papa*, répond le gamin de Paris.

– Et moi ma chaussette, ajoute Chien Pourri.

– Vous me faites perdre mon temps, je n'ai rien de tout ça derrière mon comptoir !

Le gamin de Paris fait demi-tour en traînant des pieds.

– Et maintenant ? demande Chien Pourri.

– Il n'y a plus qu'à attendre un miracle, dit le gamin de Paris.

Mais parfois, les miracles ne sont pas ceux qu'on attend.

Au fond du bar, un petit monsieur à lunettes leur conseille :

– Vous devriez essayer *Les Folies Ménagères*, moi un jour, j'y ai retrouvé ma femme, elle y dansait le french cancan.

Cette fois, le gamin de Paris sent briller à travers sa poche trouée son bout d'étoile de mer.

Ménagères

Les Folies Ménagères

Devant le célèbre cabaret parisien, un bonimenteur harangue la foule.

– Approchez ladies and gentlemen, mesdames et messieurs, chats et chiens, cats and dogs. Bienvenue, welcome dans le plus faymousse club de Parisssse : *Les Folies Ménagères*. Vous pourrez admirer le fameux lave-bretelles, la machine à bigoudis et le légendaire stylo Biche !

– Nous cherchons une petite femme de Paris, dit Chien Pourri.

– Entre, brave toutou, on trouve tout aux *Folies Ménagères* !

– Ça m'a l'air bizarre, freine Chaplapla.

– Ne t'inquiète pas, c'est gratuit pour les chiens et les chats avant vingt heures, dit Chien Pourri.

Le Poubelle Tour s'installe à une table en plein courant d'air, derrière un poteau et à côté des toilettes.

– On est bien ici, se félicite Chien Pourri.

– On ne voit rien, se plaint le gamin de Paris.

Il n'entend rien non plus, car, à la table du Caniche Tour, Aristide Bruyant fait un vacarme épouvantable en tapant dans ses mains et en chantant.

– And now, ladies et gentlemen, dit le bonimenteur, pour vous présenter la machine à laver, j'appelle la faboulousse Jambe Courte !

– Qu'est-ce qu'il a dit ? demande le gamin de Paris.

– Je n'entends rien, dit Chaplapla.

– Je ne vois rien, dit le gamin de Paris.

– And now, sous vos encouragements, Jambe Courte va lever la jambe pour ouvrir la machine ! C'est une vedette, on l'applaudit bien fort !

Malheureusement, le gamin de Paris ne peut pas voir sa maman sur scène, elle est cachée par le poteau et seule sa jambe dépasse.

– Alors qui veut de cette machine à laver ? demande Aristide Bruyant.

– Moi, dit le labrador, je vais la rapporter à mes parents.

– Fayot ! crie le caniche à frange.

– Et maintenant, le lot suivant, une magnifique machine à bigoudis…

– Ça m'intéresse, dit le caniche à frange en levant la frange.

Le spectacle va bon train, le Caniche Tour est comblé. Jambe Courte regagne les coulisses pour mettre une nouvelle robe longue, mais derrière son poteau, le gamin de Paris se morfond encore :

– *J'ai perdu mon papa, j'ai perdu ma maman...*

– Il te faudrait une machine pour retrouver les parents, hurle Aristide Bruyant.

– Ha, Ha ! je vois que monsieur a entendu parler du stylo Biche qui retrouve tout. Il me faudrait un volontaire, demande le bonimenteur.

– Moi ! dit Chien Pourri.

« Peut-être que je pourrai retrouver ma chaussette. »

– Ce sera donc un retrouve toutou, plaisante le bonimenteur. On l'applaudit bien fort !

– Vous voyez ce stylo ? Rien de plus normal. Et pour montrer qu'il n'y a aucun trucage, je vais demander à ce toutou d'égout de le toucher.

– C'est un vrai stylo Biche, quatre couleurs, confirme Chien Pourri.

– Hier, j'ai perdu mon portefeuille et grâce à ce stylo Biche, je vais le retrouver ! Allez, brave toutou, fais-le tourner ! Là où il s'arrêtera, le portefeuille apparaîtra !

Chien Pourri donne un coup de patte au stylo Biche, les spectateurs retiennent leur souffle.

– Stop ! fait le bonimenteur qui écrase le stylo avec son pied.

Comme par hasard, le stylo Biche s'arrête pile devant le bonimenteur qui feint la surprise, en fouillant dans sa poche.

– Se pourrait-il… ? Mais oui, c'est mon portefeuille ! Il était dans ma poche. Ah oui, vraiment ce stylo Biche retrouve tout !

« Il doit y avoir un truc, mais je ne vois pas », se dit Chien Pourri, perplexe.

– Pour une bouchée de pain, il sera à vous et retrouvera tout ce que vous voudrez.

Cette fois, le gamin de Paris a bien entendu et il s'avance avec son tableau dans les bras et son bout d'étoile de mer pour l'échanger contre le stylo Biche.

« Je vais retrouver mon papa et ma maman », espère-t-il.

– Allons gamin, rentre chez ta mère et remballe ta camelote !

– Mais *j'ai perdu ma maman…*

– Et maintenant, le spectacle continue, l'interrompt le bonimenteur. Pour vous présenter la gomme kangourou, j'appelle la célébrissime Jambe Courte dans sa nouvelle robe longue !

– Mais… mais, c'est ma maman ! hurle le gamin de Paris, en voyant sa mère.

– C'est ça et moi, je suis ton papa ? se moque le bonimenteur. De toute façon, cette maman n'est pas à vendre !

Mais rien ne peut interrompre les

retrouvailles d'une mère avec son fils. Le gamin de Paris saute dans les bras de Jambe Courte sous les applaudissements de la foule.

– Je t'ai perdu dans la rue car j'avais les jambes trop courtes pour te rattraper, lui dit-elle en pleurant.

Cette fois, même le bonimenteur se laisse attendrir par ce spectacle.

– Tu diras à ton papa que les bonimenteurs ont du cœur, tu peux partir avec ta maman.

– Mais *j'ai perdu mon papa...*

Sous les hourras des spectateurs et d'un french cancan endiablé, la soirée aux *Folies Ménagères* s'achève dans la joie. Le labrador repart avec une machine à laver, un stylo Biche, deux robots-mixeurs et trois gommes kangourous à offrir à ses parents. Aristide Bruyant reconduit dans un vacarme assourdissant le Caniche Tour à son bus.

RER B
DEQUDI

Place de l'Étoile de Mer

Pour fêter leurs retrouvailles, Jambe Courte emmène le gamin de Paris sur la place de l'Étoile avec ses nouveaux amis.

– Ah, si papa pouvait voir ça ! soupire le gamin de Paris.

« Ah, si je retrouvais ma chaussette ! » pense Chien Pourri.

« Ah, si j'avais un souvenir de Paris ! » rêve Chaplapla.

Mais alors que Chien Pourri s'apprête à monter sur l'Arc de triomphe, il reconnaît une odeur familière.

« Ça sent la chaussette ou je ne m'y connais pas. »

Sur la plus belle avenue du monde, Chien Pourri suit l'odeur jusqu'à une bouche d'égout.

« Ma chaussette est en dessous, j'en suis sûr ! Je la sens. »

– Vite, venez m'aider ! crie-t-il.

Le gamin de Paris, Chaplapla et Jambe Courte se précipitent et l'aident à soulever la plaque d'égout. Alors, un homme, le visage couvert de suie, sort des entrailles de la terre, un bout d'étoile de mer dans une main, une chaussette dans l'autre.

– Papa, c'est toi ? demande le gamin de Paris.

– Ciel, mon mari ! s'écrie Jambe Courte, en levant la jambe.

– Ma chaussette ! s'exclame Chien Pourri.

– J'ai retrouvé mon papa, j'ai retrouvé ma maman… pleure de joie le gamin de Paris.

Et lorsque le gamin de Paris sort de sa poche son bout d'étoile de mer pour la coller à celle de son papa, les lumières de la ville scintillent et les Champs-Élysées s'illuminent.

– Le voilà mon souvenir de Paris ! se réjouit Chaplapla.

– Ça, c'est Paris, dit Chien Pourri, la larme à l'œil.

– Tu l'as dit, Pourri !

Du même auteur à *l'école des loisirs*

Collection MOUCHE

Rex, ma tortue
Roi comme papa
Les chaussettes de l'archiduchesse
Les aventures de Pinpin l'extraterrestre
Je ne sais pas dessiner
La vie avant moi
L'enfant
La princesse aux petits doigts
Histoire pour endormir ses parents

avec Marc Boutavant

Chien Pourri
Joyeux Noël, Chien Pourri !
Chien Pourri à la plage
Chien Pourri à l'école
Chien Pourri est amoureux

Collection CHUT !

Rex, ma tortue
Chien Pourri
Joyeux Noël, Chien Pourri !
lus par Céline Milliat-Baumgartner